杨永青（1927—2011），中国当代著名国画家、连环画家、版画家和儿童美术教育家。

　　杨永青出生在上海浦东一个贫苦农民家庭，种过田，当过学徒，教过书。1952年开始在出版社担任美术编辑，1956年起历任中国少年儿童出版社美术编辑、编审。曾任中国美协儿童艺委会一至十二届的主任。

　　杨永青的画作以表现传统题材、人物见长，在绘画上的卓越成就主要表现在他对儿童题材的绘画尤为精致和独到，人物形象无不栩栩如生。他一生创作了52部连环画，多套书被翻译成多种文字在世界各地出版发行。

　　杨永青的作品散发出无限慈爱和天真纯美的温馨味道，歌颂大爱与和谐是他对传承、发扬中华文化的卓越贡献。

　　特别是杨永青晚年的创作，多以观音、童子题材为依托，表达对和平、博爱的追求。他心目中的观音就是和平女神，是中式的"圣母"，是美丽和慈悲仁爱的化身；童子则是儿童题材创作的延续。

　　杨永青将一生奉献给孩子们和美术教育事业，离休之后依然笔耕不辍，为儿童图书作画，把最精美的精神食粮奉献给孩子们，他希望小朋友在阅读图书的时候，能够得到快乐和有益的启迪。

大师绘本馆

杨永青

◎张果老偷喝仙汤 ◎吕洞宾赶羊造桥

杨永青/绘　石　南/文

中国少年儿童新闻出版总社
中国少年儿童出版社
北　京

图书在版编目（CIP）数据

张果老偷喝仙汤　吕洞宾赶羊造桥 / 杨永青绘；石
南文. — 北京：中国少年儿童出版社，2016.1
　　（大师绘本馆.杨永青）
ISBN 978-7-5148-2848-1

Ⅰ.①张… Ⅱ.①杨… ②石… Ⅲ.①儿童文学 – 图
画故事 – 中国 – 当代 Ⅳ.① I287.8

中国版本图书馆CIP数据核字（2015）第312539号

ZHANGGUOLAO TOU HE XIAN TANG
LÜDONGBIN GAN YANG ZAO QIAO

出版发行：中国少年儿童新闻出版总社
中国少年儿童出版社
出　版　人：李学谦
执行出版人：赵恒峰

选题策划：何强伟	责任校对：陈毕欣
责任编辑：姜　涟	责任印务：杨顺利
封面设计：缪　惟	

社　　　址：北京市朝阳区建国门外大街丙12号　　　邮政编码：100022
总 编 室：010-57526071　　　　　　传　　真：010-57526075
发 行 部：010-57526568
h t t p：//www.ccppg.com.cn
E–mail：zbs@ccppg.com.cn

印刷：北京利丰雅高长城印刷有限公司

开本：889mm×1330mm　　1/24　　　　　　　印张：2.5
2016年1月第1版　　　　　　　　2016年1月北京第1次印刷
　　　　　　　　　　　　　　　　　　　　印数：6000册

ISBN 978-7-5148-2848-1　　　　　　　　定价：25.00元

杨永青和他的儿童画

冰 心

　　世界上没有一朵不美的花，也没有一个不可爱的孩子。

　　我一生喜爱小孩子，无论是母亲怀抱里的，老师领着在路上走的，银幕上的，图画里的，我都爱！

　　1980年夏我因病住院，同年10月《儿童文学》同人送给我一幅贺寿的画。画上是一个挽着丫角，系着大红兜肚，背着两个带着绿叶的大红桃子的胖娃娃。这娃娃画得十分传神可爱。那微微张开的笑口，那因用力而突出的胸腹，和那两只稍稍分开而挺立的胖腿，都充分地表现出他乐于背负的两个大桃子，是太大太重了！这只有对于小孩子的负重动作有很细腻深入的观察的画家，才画得出来！这娃娃在我医院病榻旁陪了我半年，给我以很大的安慰和快乐。

　　《儿童文学》同人第二次来看望我时，我就详细地问起这位画家的名字和身世。从他们热情而诚挚的谈话里，从他们让我看的这位画家的作品里，我看到了一位认真、纯朴、正直，一心扑在儿童画上的艺术家的形象。

　　杨永青同志是上海人，家境贫寒，自幼丧母，父亲在上海替人做些杂工。他和祖母相依为命，艰辛地读完了五年的小学，就到上海一间木行里当了学徒。这时他已经酷爱画画，得到一管笔一张纸，就专心致志地画了起来，无论环境多么嘈杂，他也能够从从容容地画画。他尤其喜爱儿童的形象，善于捕捉一瞬间突出的美的画面，他就这样"无师自通"地画下去，直到他十五六岁的时候，才遇到一位工笔画的老师，受到一些绘画的训练。

　　新中国成立前夕，杨永青同志二十二三岁了，他开始以画画为业，在家乡的学校里，当了美术教员。新中国成立后，在乡政府和团县委参加美术宣传工作，直到他在上海华东团委的《青年报》上发表了几幅作品之后，社会上才开始注意杨永青这个名字。

　　1953年，他从华东青年出版社调到了中国青年出版社工作，主要是替少年儿童读物画插图。他的作品有《大灰狼》《马兰花》《小燕子万里飞行记》等，得到了广大小读者的赞赏。

三十年来，这位孜孜不倦一心扑在画上的艺术家，也免不了生活道路上的坎坷！可他即便在逆境里，也依然执着地坚守着生活的信念和对艺术的追求。他任劳任怨，忍辱负重，表现了一个艺术家应有的品格。在这期间，他的坚贞不渝的爱人蔡纯美（一位无线电修理部的先进生产者）劝慰他、鼓励他，独力挑起了一家的生活重担，支持他度过了漫长的艰难岁月。

1978年10月，随着党的知识分子政策的落实，杨永青终于得到了又一次的解放。雨过天晴，万物复苏，他重新握起了为儿童作画的画笔。他来到《儿童文学》编辑部担任编辑，心情舒畅了，专业上又有了很大的进步。几年之中，他又为儿童画了好几本画。

杨永青同志也画过山水人物。六十年代初期，他到福建，下连队体验解放军生活，又收集了许多民间版画资料；也到过云南、四川和华山、黄山等地，他把爱美的心灵沉浸在祖国南疆浓郁的风光里。但他最喜欢画的是祖国农村的儿童生活。在我看过的他的儿童画里，有喂猪的女孩儿、牧羊的男孩儿，还有高举着饭碗坐在小鸡群里的，有肩上挂着冰鞋迎着朔风赶路的……都生动、活泼，充满了生命力！而且神情各不相同，有爱抚，有喜悦，有防备，有急遽，都表现出画家和他的绘画对象有心灵上的沟通和交流，因而在风格上形成了极其自然的现实主义。我不会画画，欣赏绘画时只凭直觉。我觉得杨永青同志对他的工作是极其严肃认真的。他自己也说过：他为儿童读物作画，感到这任务是神圣的。他不但在作画时注意培养儿童严肃的审美观，还十分注意印刷效果，常常下到车间同工人师傅一起商量，关心印刷情况。

直到现在，我还没会见过这位以画儿童画为神圣事业的画家。他病了，动了手术，还在疗养期间。我衷心祝愿他放心休养。他比我年轻得多，他有足够的时间来享受他说过的"能使我放心大胆地追求"的美好环境。据我知道，现在画儿童画的艺术家不多，画得好的尤其难能可贵。喜爱儿童的人们，要一齐来关怀和爱护像杨永青同志这样的人才。

（本篇最初发表于《儿童文学》1982年第2期）

大师绘本馆·杨永青

张果老 偷喝仙汤

杨永青◎绘 / 石　南◎文

出场人物——张果老

历史上，唐朝确实有一个叫张果的人，因为岁数大，被尊称为老。他的故事最早出现在《明皇杂录》。因为他是当时著名的炼丹家，新旧《唐书》里都有《张果传》，把他归入方技类。当时社会普遍迷信丹砂，以为服丹药可以延年益寿、飞升成仙。

《旧唐书》中的张果，已经异于常人，"隐于中条山，往来汾、晋间，时人传其有长年秘术，自云年数百岁矣。"唐玄宗多次召见他，求长生不老的方法，还任命他为银青光禄大夫，赐号通玄先生，甚至打算把一位公主嫁给他。后来张果回到了恒州，唐玄宗又派使者征召，张果装死，打开棺只见一具空棺。后来，唐玄宗也只好不再召见他。

作为一个真实存在过的人物，张果老的籍贯并不明确。最多的说法，他是河北广宗人，当地至今还有张果老山、张果老墓、张果老井。不过，山西等地也有相关的遗迹。

张果老成仙的故事，基本以新旧《唐书》记载为主。民间也衍生出其他版本，张果老当小和尚偷吃参汤是其中之一。中国人一向对人参很崇拜，喝人参汤升天，应该是后人附会的。杨永青先生所

画，即是根据这一种传说。张果老喝人参汤，也是在庙里，但他的身份不是小和尚，已经是一位闲游的老汉了。

在八仙中，张果老的与众不同，还在于他骑一头小毛驴。"日行千万里，休则叠之如纸，置巾箱中；乘则以水噀之，复成驴。"八仙过海时，要各显神通，张果老就是以纸驴投水渡海的。至于为何要倒骑毛驴呢，相传张果老曾经捉弄一位小姑娘，后来得知小姑娘是他的女儿，他羞愧难当，不敢正面骑在驴背上。杨永青先生所画，是张果老偷喝人参汤，怕人追上来，倒骑好观察后方。倒着骑驴，违反常理，也就增添了趣味，这也是老百姓喜欢张果老的一个原因。后人从中悟出一番大道理："举世多少人，无如这老汉。不是倒骑驴，万事回头看。"

　　相传河北广宗张固寨村里，有位叫张果的老汉，他常常骑着毛驴四处游历，求仙问道。

一天，他路过一座破庙，在山门前歇息。

　　正待起身，庙里飘出一股奇异的香味儿，不像是
寻常饭菜的味道。

张果老闻着香味儿，进了山门。只见院内几块石头上架了一口大锅，柴火烧得正旺，香气正是从锅中溢出的。

　　锅里煮的是什么？张果老大为好奇，掀开锅盖，好
像只是些萝卜。可是，萝卜哪来这样的香味儿呢。

张果老有些困惑。要不要尝一口，看到底是什么汤？但他又有些迟疑，要是主人发现了，岂不是偷吃别人的东西？他转身到山门前张望，一个人影也没有。

返回院内，张果老便放心大胆地
享用起锅中的美味。没有碗，他就用
手中鞭子的柄，先扎起一块尝了尝。

　　这锅汤真正的主人，是庙外不远村子里的一位私塾先生，他压根儿没想到，自己私下里精心炮制的仙汤，已经成为别人的口中美味了。

私塾先生也是个一门心思幻想得道成仙的家伙。有一天，有个学童告诉他，破庙外有时会出现一个白白胖胖、光着屁股的小孩儿，跟村里的孩子长相不同。

　　私塾先生一听大喜。他听说千年人参可以幻化为人形，凡人一旦吃了，也就成了仙人，可以上天入地了。莫不是遇到了人参娃娃？

　　私塾先生在一根绣花针上，纫上长长的红线。他让学童偷偷跟踪那个白胖的小孩儿，遇到之后，悄悄把针别在小孩儿的肚兜上。

　　学童依计而行。私塾先生得知红线拴住了胖娃娃，大喜过望，顺着红线一路寻去，在破庙的后面，红线的一头果然系在一棵人参上。

15

事不宜迟，私塾先生将人参挖了出来。可心里又有些踌躇，在哪儿熬人参汤，才神不知鬼不觉呢？不如就在庙里就地生火，免得回到村里让人发现了。

正熬着人参汤，村里有位朋友有急
事找他。他听到叫声，慌忙走到庙外。
朋友不由分说，将他拽回村里。

私塾先生前脚刚走，张果老后脚就进了庙门。私塾先生在村里忙着办事，心里七上八下，哪想到张果老已经把人参吃光了。

　　锅里还剩下些汤。张果老想起毛驴也饿着肚子，
干脆牵过毛驴，毛驴把锅底舔了个干干净净。

张果老吃得浑身舒坦，忽然看见一个人，匆匆忙忙地往这边小跑过来。张果老心知不好，肯定是汤锅的主人回来了。三十六计走为上策，他赶忙跳上驴背，一溜烟儿出了庙门。

怕有人追赶，他倒骑在驴背上，好往后观望。

毛驴喝了仙汤，四蹄如翼，疾步如飞。从此，张果老倒骑着他的毛驴，云游四海，过上了神仙的生活。

大师绘本馆·杨永青

吕洞宾 赶羊造桥

杨永青◎绘 / 石 南◎文

出场人物——吕洞宾

　　八仙之中，如果一定要选一位领袖的话，非吕洞宾莫属。在道教中，他和汉钟离地位最高，都被全真教推为祖师。但他又能够独享香火，一般的道观里都有他的塑像，各地有不少吕祖庙。有的地方甚至将他与观音、关公合称为"三大神明"。

　　能在八仙中独领风骚，在于吕洞宾的形象集中了儒家、道教、佛教三家的文化，社会各个阶层都易于接受。

　　读书人也喜欢吕洞宾。有一种说法，说他是唐代诗人吕岩的化身，《全唐诗》还收有吕岩诗作。

　　在吕洞宾身上，体现了古代读书人既能入世、又可出世的理想。"朝游北海暮苍梧，袖里青蛇胆气粗。三醉岳阳人不识，朗吟飞过洞庭湖。"这首托名吕洞宾的诗歌，反映了读书人对自由而神秘的神仙世界的向往。

　　老百姓也喜欢吕洞宾。还有一种说法，说他生于官宦人家，中过进士，当过地方官吏。后来，他憎恶官场，厌倦乱世，和妻子一起到山中修行。弃官出走之前，散尽万贯家产；修仙成仙之后，更加乐善好施，扶助乡里。在各

种传说里，吕洞宾都是替天行道，除暴安良，斩妖除怪，解救百姓于水火之中的救星。

还有一种说法，吕洞宾原为唐朝宗室，本来姓李，武则天时屠杀唐室子孙，他和妻子隐居山间，改为吕姓。因常居岩石下面，所以名岩；又因常居住洞中，所以号洞宾。

也有传说吕洞宾在长安酒肆中遇到汉钟离，经过汉钟离生死财色十番测试，被度成了仙。

历来吕洞宾的形象，身背长剑，潇洒俊朗，仪态万方，很符合中国人对神仙的想象。杨永青先生刻画的吕洞宾，既有儒雅的书生气息，又有剑客的飒爽英姿，可谓形神兼备。

吕洞宾赶羊造桥，来源于传说中的观音化缘造洛阳桥、吕洞宾戏观音的故事。

吕洞宾身背长剑，潇洒俊朗，琴棋书画样样精通。

吕洞宾是被汉钟离度化成仙的。在百花山中，他跟随汉钟离修炼仙术。闲来无事，二人一起下棋。松涛阵阵，鹤舞清涧，虽然清净，有时也不免孤寂。

　　一日，吕洞宾踏云而去，不辞而别。他打算看看人间烟火，洒脱几天。

　　路过赵州城，吕洞宾俯瞰街市，只见
人来人往，很是热闹。他便压低云头，来
到城里，在茶楼酒肆里盘桓。

忽然，人群起了骚动，大家都往河边跑，似乎出了大事。吕洞宾随人流来到河边，只见一艘渡船翻了个底朝天，岸上有人围着溺死的人痛哭。

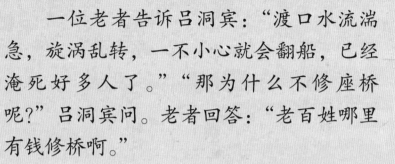

一位老者告诉吕洞宾："渡口水流湍急，旋涡乱转，一不小心就会翻船，已经淹死好多人了。""那为什么不修座桥呢?"吕洞宾问。老者回答："老百姓哪里有钱修桥啊。"

离开河岸，吕洞宾若有所思。前面不远，从一座临河的酒楼上传来笑语喧哗。只见一群衣着光鲜的人，争着向河边一艘小船上抛洒银钱。船上的一个老头儿大声吆喝："快来打啊。谁打中这姑娘，这姑娘就是谁的。"

　　吕洞宾觉得诧异，再定睛一看，更是大惊失色。他认出船上的姑娘，竟然是观音菩萨变的，而那位老头儿，是观音菩萨的弟子惠岸变的。这是唱的哪一出呢？那边翻船哭声连连，这边还有心情寻欢作乐？

吕洞宾不觉有些气恼，想捉弄一下观音。他拉住路边一位叫韦驮的年轻人，问他想不想也抛枚铜钱试试。韦驮摆手拒绝，说自己身上一枚多余的铜子儿也没有。

吕洞宾不由分说，把韦驮拽上酒楼，掏出一枚铜钱硬塞到韦驮手里，一边逼韦驮往下扔，一边口中念念有词。韦驮扔的铜钱不偏不倚，正中姑娘身上。

36

　　韦驮目瞪口呆。化身姑娘的观音菩萨也暗自吃惊。前
来寻徒的汉钟离见此情形，知道徒弟一时鲁莽，闯祸了。

观音菩萨被戏耍，连忙升空，菩萨知道是吕洞宾
暗中作法，命令惠岸将吕洞宾捉拿上来。

　　吕洞宾并不愿认错，
辩解道："你化身美女选
婿，我找了个英俊的小伙
子投掷铜钱，不正合你的
心意吗？"汉钟离赶忙圆
场，替徒弟赔罪："小徒无
礼，他实在不知菩萨的一
番苦心，所以冒犯了。"

见吕洞宾一脸茫然，观音菩萨一五一十地说明原委。原来观音菩萨得知当地水患，有意造桥，便带惠岸来此作法，为了能从富人那里筹钱，所以化身姑娘和老头儿，不想被吕洞宾撞破。吕洞宾决定将功补过，说愿意造桥赎罪。观音菩萨转怒为喜，规定了期限：必须当天夜里完成。

汉钟离不禁暗地里连声叫苦，但吕洞宾似乎胸有成竹，他对师傅说："时候还早，先找个地方歇息吧。"

　　天色暗下来，月亮升起来。吕洞宾躺在树下呼呼大睡，汉钟离几次叫他，他都不慌不忙地说："时辰没有到呢。"

43

直到夜深，明月当空，吕洞宾才背剑上山。来到一处石岗，他开始作法，只见一块块石头，如同苏醒过来，变作一只只羊。他正把羊群往山下赶，前来打探的惠岸不免纳闷儿：都到节骨眼儿上了，这个吕洞宾还有心思放羊？

　　吕洞宾把羊群赶到河边，一只一只排
好队。他再次施展法力，轻拍羊脑门儿，
一只只羊又变回一块块平整的石头。

羊源源不断地过来，石头也越来越多。吕洞宾开始挥剑造桥，巨石立成桥墩，石板铺就桥面。一眨眼的工夫，河面上就拱起来一座坚固的石桥。

　　一夜过去，迎来黎明，惠岸再次一探究竟。他立在云头，见赵州河上已是新桥屹立，仿佛是从天下掉下来的。他惊讶不已，对吕洞宾十分佩服。惠岸连忙腾云驾雾，向观音菩萨报告好消息去了。从此，赵州河两岸可以通行无阻了。